P9-CMB-852

Connais-tu

Dian Fossey

Connais-tu ?

Dian Fossey

Textes : Johanne Ménard
Illustrations et bulles : Pierre Berthiaume

ÉDITIONS
MICHEL
QUINTIN

Catalogage avant publication de Bibliothèque et Archives nationales du Québec et Bibliothèque et Archives Canada

Ménard, Johanne, 1955-

Dian Fossey

(Connais-tu? ; 6)
Pour les jeunes de 8 ans et plus.

ISBN 978-2-89435-491-9

1. Fossey, Dian - Ouvrages pour la jeunesse. 2. Primatologues - États-Unis - Biographies - Ouvrages pour la jeunesse. I. Berthiaume, Pierre, 1956- . II. Titre. III. Collection: Connais-tu? ; 6.

QL31.F67M46 2011   590.92   C2011-940321-8

Collaboration spéciale : Maude Ménard-Dunn
Révision linguistique : Serge Gagné
Conception graphique (couverture) : Céline Forget
Infographie : Marie-Ève Boisvert

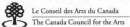

Le Conseil des Arts du Canada
The Canada Council for the Arts
SODEC Québec
Patrimoine canadien   Canadian Heritage

La publication de cet ouvrage a été réalisée grâce au soutien financier du Conseil des Arts du Canada et de la SODEC.

De plus, les Éditions Michel Quintin reconnaissent l'aide financière du gouvernement du Canada par l'entremise du Fonds du livre du Canada pour leurs activités d'édition.

Gouvernement du Québec – Programme de crédit d'impôt pour l'édition de livres – Gestion SODEC

ISBN 978-2-89435-491-9
Dépôt légal –Bibliothèque et Archives nationales du Québec, 2011
              Bibliothèque et Archives Canada, 2011

© Copyright 2011

Éditions Michel Quintin
C.P. 340, Waterloo (Québec)
Canada J0E 2N0
Tél.:   450 539-3774
Téléc.: 450 539-4905
editionsmichelquintin.ca

11 - G A - 1

Imprimé au Canada

Dian Fossey a toujours adoré les animaux.

Mais, toute petite, ses parents ne lui permettent d'avoir qu'un poisson rouge.

Dian rêve d'être vétérinaire. Mais la chimie et la physique sont des obstacles pour elle.

Dian devient plutôt ergothérapeute et travaille auprès d'enfants handicapés. Elle veut les aider à communiquer.

Dian est fascinée par les récits de voyage d'amis qui ont parcouru l'Afrique.

Elle aimerait tant aller où les animaux vivent encore
en liberté et non enfermés dans des zoos.

En 1963, l'aventurière de 31 ans part pour un premier voyage en Afrique. Elle y fait la rencontre de Louis Leaky, un paléontologue qui a découvert

des ossements d'hommes préhistoriques. Selon lui, étudier les grands singes nous renseignerait sur nos origines. Dian est emballée par les recherches du Dr Leaky.

Pendant ce voyage, Dian vit une expérience inoubliable. Durant une expédition en montagne, cachée avec ses compagnons derrière des buissons,

elle a la chance d'observer pour la première fois un
groupe de gorilles de montagne.

Dian, éblouie, découvre six créatures imposantes à la fourrure veloutée, à la face comme du cuir et aux yeux bruns perçants. Quelle vision magnifique !

Au contraire des êtres monstrueux qu'on décrit souvent, les gorilles lui apparaissent plutôt comme des animaux calmes et pacifiques.

Après ce voyage, Dian est bien décidée : elle veut étudier ces êtres fascinants menacés d'extinction. Elle s'emploie donc pendant trois ans à convaincre

le Dr Leaky de l'engager. La jeune intrépide est finalement recrutée pour créer un centre de recherche en Afrique, dans les monts Virunga !

COMITÉ D'ACCUEIL

Au volant de Lily, sa Land Rover, Dian arrive sur un premier site choisi dans les montagnes au Congo.

Cependant, elle est bientôt chassée hors du pays, où sévit une guerre civile.

Après bien des mésaventures, Dian découvre l'endroit idéal pour établir sa base. À haute altitude, dans une belle vallée luxuriante où coule un petit ruisseau.

Deux tentes sont plantées. Le Centre Karisoke est né! Nous sommes au Rwanda, dans le parc national des Volcans, le 24 septembre 1967.

Avec les années, le Centre va se développer et plusieurs cabanes recouvertes de tôle ondulée seront construites. Celle de Dian sera surnommée

«le manoir». La vie au camp est rudimentaire.
Le climat presque toujours brumeux, froid et humide
n'est pas toujours facile à supporter.

La célèbre revue *National Geographic* finance les
recherches de Dian Fossey. La revue envoie un
photographe sur place. Bob Campbell deviendra

très proche de Dian pendant quelques années et contribuera à faire connaître la beauté des gorilles dans le monde entier.

Avec le temps, Dian développe une façon bien à elle d'entrer en contact avec les gorilles. Pour les amadouer, elle fait comme eux.

Accroupie ou assise par terre, elle se gratte la tête et fait semblant de mâcher des feuilles comme ces végétariens.

La première fois qu'un gorille la touche est un moment magique pour Dian. Étendue par terre, la main ouverte paume vers le haut, la jeune femme ne bouge pas. Peanut le gorille s'approche alors

30

et dépose doucement sa main pendant quelques instants sur celle de Dian. Puis, se dressant, il frappe son torse de ses poings et s'éloigne tranquillement.

La jeune femme apprend aussi à se frapper la poitrine de ses poings et à reproduire les sons que les gorilles émettent.

Un grondement sourd émis du fond de la gorge, *naoooom*, semble entre autres exprimer le contentement.

Dian note que les gorilles vivent en groupes où chaque individu a un rôle à jouer. Un grand mâle, qu'on appelle un « dos argenté », domine la troupe.

Les adultes protègent les petits, au péril de leur vie s'il le faut.

Malheureusement, ces géants pacifiques vivent dans une région très pauvre de l'Afrique.

Ils doivent faire face à plusieurs menaces de la part de leurs descendants, les humains.

Les agriculteurs ne cessent d'agrandir les terres à cultiver, réduisant ainsi de plus en plus la forêt qui nourrit les gorilles.

Le braconnage fait aussi beaucoup de ravages.
Dian et ses aides détruisent tous les pièges
qu'ils trouvent.

Souvent tendus pour attraper d'autres animaux, ces pièges blessent et tuent nombre de grands singes.

Les braconniers abattent aussi les gorilles pour
vendre leur tête comme trophée aux touristes
ou leurs mains comme cendriers.

D'autres parties de l'animal servent à la magie noire, pratique très populaire dans ces contrées.

Pour lutter contre les braconniers, Dian utilise tous les moyens qu'elle peut. Elle se fait ainsi bien des ennemis. Par exemple, elle se couvre le visage

d'un masque de carnaval pour faire peur aux chasseurs. Ceux-ci la voient comme une sorcière aux pouvoirs maléfiques.

La grande femme mince à la crinière brune a une personnalité forte et intransigeante.

Son humeur peut changer très vite, passant de la douceur à la colère la plus noire.

Un jour, les autorités confient à la chercheuse deux bébés gorilles en très mauvais état. Les pauvres ont été capturés pour être envoyés dans un zoo.

Dian n'hésite pas à aménager une chambre de sa cabane en pouponnière et à jouer à la maman avec Pucker (une femelle) et Coco (un mâle).

Une fois remis sur pied, les petits gorilles seront cependant envoyés tel que prévu en Europe dans un zoo.

Dian en aura le cœur brisé, comme chaque fois
qu'elle verra ses précieux gorilles maltraités
ou assassinés.

Son gorille préféré se nomme Digit. Dian l'a connu très jeune et leur relation s'est développée avec le temps.

Digit fait souvent des pitreries pour plaire à Dian ou l'entoure de son bras. Devenu un adulte, le jeune dos argenté se donne le rôle de gardien de son groupe.

En 1977, Digit est décapité et éventré alors qu'il défendait sa famille. C'est une grande tragédie pour Dian.

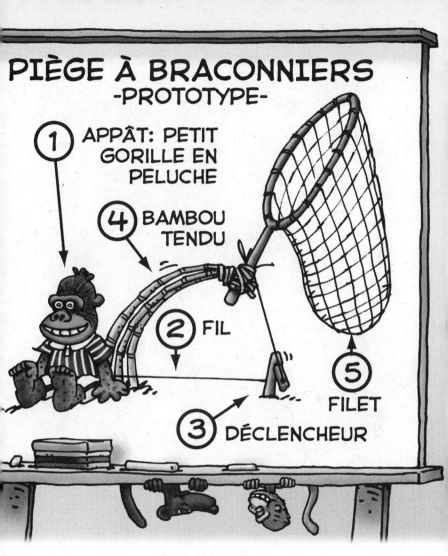

PIÈGE À BRACONNIERS
-PROTOTYPE-

1 APPÂT: PETIT GORILLE EN PELUCHE

4 BAMBOU TENDU

2 FIL

3 DÉCLENCHEUR

5 FILET

Celle-ci crée alors le Fonds Digit pour mettre de l'avant des mesures anti-braconnage plus efficaces.

Dian Fossey obtient un doctorat en Angleterre à 44 ans. Elle est à présent célèbre dans le monde entier.

En 1983, elle publie le livre *Gorilles dans la brume*,
qui connaît un immense succès et sera même porté
à l'écran.

Ses graves problèmes pulmonaires l'empêchent peu
à peu de faire de l'observation comme avant, et son

caractère instable et colérique la rend de plus en plus isolée.

Après 18 ans passés à défendre ses chers gorilles, Dian Fossey connaît une fin tragique. Elle est assassinée le 26 décembre 1985 dans sa cabane

au Centre Karisoke. Son meurtre n'a jamais été élucidé. Dian est enterrée dans le cimetière des gorilles à côté de son cher Digit.

Aujourd'hui, il resterait seulement environ 700 gorilles de montagne dans les monts Viruanga, leur unique refuge dans le monde.

Les trois pays d'Afrique où s'étendent ces monts, le Rwanda, le Congo et l'Ouganda, s'allient à plusieurs organismes pour assurer la protection des plus grands des grands singes.

Ce livre a été imprimé sur du papier contenant 100 %
de fibres recyclées postconsommation, certifié Écolo-Logo
et Procédé sans chlore et fabriqué à partir d'énergie biogaz.